40 明代
西元 1368～1643 年

[注音本]

全新 吳姐姐講歷史故事

吳涵碧◎著

目錄

【第840篇】

英宗想吃頭腦酒。

明英宗重新登上帝位，再掌大權，失而復得，有恩報恩，有仇報仇，快慰之至。

『土木堡之變』任誰都知道這是一大慘敗，也是一場絕對不該挑起的戰爭，但是，英宗雖然下過罪己詔，心中卻不肯認錯，在他看來，勝負乃兵家常有之事，尤其主戰的宦官王振，可是百分之百對他忠心。

因此，英宗找來著名的雕刻大師，為王振刻了一座木像，並且恢復官職，招魂以葬，並且在智化寺中供奉，祭祀王振，最讓人吐血的是，英宗竟然還爲王振建立了一所精忠祠。

學士錢溥看準了明英宗的心意，在爲王振所寫的墓誌銘之中，竟然把王振吹捧成爲『忠烈』，一直到萬曆年間，王振的像還供奉在智化寺中，香火不絕，眞正是善惡不分。

辦好了王振的後事，明英宗龍心大悅，下令交代：『多端些竹葉青來，燒幾盤小菜，朕要小酌一番。』

既然是皇上吩咐，絕不可能只是小碟小菜，英宗講究美食，一頓飯下來，細細品味，慢慢兒享受，眞覺快樂勝神仙。

當英宗面對著滿桌膏粱羅列，啜飲著醇而不膩的美酒，在豪飲酒酣之

際，突然想起，當他自瓦剌歸來，困居南宮，時時饞得慌，又沒事做，老覺得有無數隻大大小小的饞蟲，上上下下在喉嚨之中抓撓，彷彿在哀求，給一點兒好酒好菜吧。

英宗還記得，南宮樓高而家具擺設少，冷冷清清，悽悽慘慘，尤其到了冬天夜晚，更有陰森恐怖之感。有一回，英宗想吃一點兒『頭腦酒』，簡直想得厲害。

所謂頭腦酒，原是宮中規矩，自冬至到立春，把烤得香噴噴的肉放在一個大碗裡，再加上熱騰騰的燒酒，賜給殿前將軍甲士，用以避風禦寒，稱之爲頭腦酒。這個名稱，看起來奇奇怪怪，其實主要是古人認爲，頭受不得風寒，否則容易傷風感冒，尤其中國北方，寒風凜冽，出門若是不戴上皮帽，連耳朵都會凍傷，假如來一碗頭腦酒，周身溫暖，頭部就受到保護了。在《水滸傳》、《金瓶梅》等小說之中，都曾經出現過頭腦酒的名稱。據說，在今天中國大陸的山西，迄今還有頭腦酒出售，做法是把數塊羊肉與藕根放入一個大碗之中，再以黃酒摻入，其味甚美。

頭腦酒雖可以禦寒，總算是粗食，英宗若不是身處冷宮，不見得會特別歡喜頭腦酒。他考慮再三，終於對光祿寺官員開了口：『天氣好冷，我想來一些兒頭腦酒。』

光祿寺官員冷冷地望了英宗一眼，沒好氣道：『不錯，冷是冷，不過嘛，頭腦酒在景泰初年早就廢了。』說著，把臉別了過去。

明英宗本來還想加一句：『不然，隨便打些酒，弄一碟小菜也好。』

看著光祿寺官員一臉不樂意的模樣兒，勉勉強強把話又嚥了回去，眼中卻不禁閃爍著淚光，努力地不讓淚珠兒滾落下來。

按『光祿寺』三字起自北齊朝，置光祿卿與光祿少卿，兼掌膳食帳幕，唐朝以後的光祿寺專司皇帝祭品、膳食與招待飲酒。

光祿寺中一名小官，名叫張澤，看在眼中，對英宗有無比的同情。他心忖，這些人眞是勢利啊，假如英宗現在在位，這些個官員不曉得如何拍馬奉承，這一會兒英宗時運不濟，畢竟還是太上皇，如此這般對待，未免殘忍一些。

於是，張澤自掏腰包，在宮外買了一隻燒鵝，再到一家著名的燻肉舖，切了些其薄如紙、燻味撲鼻的烤肉，噴香噴香的，又打了幾兩上好的竹葉青，買通了宮人，偷偷摸摸送了進來。

『上皇趁熱吃了吧，也好禦禦寒。』張澤誠誠懇懇地把酒菜奉上。英宗自小養尊處優，人人捧著長大，土木堡之變以後，被囚在瓦剌，彷彿一場惡夢，好不容易回了國門，卻還是嘗盡白眼，不想竟然還有人為他張羅酒菜，明英宗非但是欣喜，簡直是感動萬分。

英宗語帶哽咽道：『真是難為你，還有這一番忠心，你快告訴我，你叫甚麼名字？』

張澤心想，告訴你也沒用，你困在宮中，也提拔不了我。不過，還是恭恭謹謹地回答了一句：『臣名張澤。』

『可是弓長張，光澤的澤？』英宗追問道。

『正是。』

張澤，張澤，英宗在心中默默記了又記。誰也沒有料到，英宗竟然有朝一日眞的復位，又當上皇帝，所以，馬上擢升張澤爲光祿卿。可想而知的，曾經白眼相向、對英宗惡言惡語的光祿官員有夠他消受的了。

閱讀心得

【第841篇】

胡惟庸訓練猴子供茶行酒。

上一回，我們談到，明英宗喜歡喝一點老酒，許多讀者來信表示感興趣，或許佳釀美酒本來是人之所好，不因時空而轉變，也不論他是皇帝或是一般大眾。

明朝的皇帝，打從朱元璋開始，個個都喜歡飲兩盅助興。

當明太祖捨身皇覺寺，當一個小和尚的時代，出家人當然不能喝酒，事實上，當時在廟裏，窮得經常餓飯，那裏能夠喝得到酒。

後來，朱元璋投奔郭子興，入了軍隊，頭一回嘗到酒，就愛上了酒，他不但飯量特大，是個大胃王，而且以酒量好出名，帶袍澤出生入死，沒有點酒量，還不能當領導哩。

後來，朱元璋建立了明朝，當了皇帝，更能放開來大飲特飲，喝一個痛快。朱元璋畢竟起自民間，了解民間疾苦，因此，他得到天下以後，決定與民同樂，在洪武二十七年，命令工部在南京東門外，建立了十座酒樓，各取了一些很好聽的名稱如鶴鳴、醉仙、謳歌等，樓成之日，朱元璋下詔文武百官宴於醉仙樓，不醉不歸，同時且有歌妓獻藝。另外，錢宰等文人又在新樓獻詩，頗有太平盛世之氣概。

這些酒樓無不是雕樑畫棟，富麗堂皇，酒香四溢，菜色精美，凡是來

過的人都想來下一回。

明朝的酒樓外，裝有酒簾子，或是酒旗，迎風招展，吸引客人，考究的酒簾子，往往請著名的書法家題字，龍飛鳳舞的書法在風中搖曳，也是特殊的一景。

明成祖最信賴的智多星姚廣孝，曾經有一次奉詔去吳中一帶賑濟災荒，忽然發現有一酒簾寫的字相當奇偉，蒼勁有力，愈看愈欣賞，忍不住開口問道：『這是誰題的字？』

酒家的酒保得意的接口：『寫得不錯吧，是個美少年寫的哦，他從小書唸得好，字寫得好，人人都說是天降神童。』

『噢，那我倒想見見他。』姚廣孝十分好奇。

酒保熱心道：『那還有什麼問題。』

沒多久，酒保果然找來一位少年郎，約莫十二、三歲，怯生生，粉嫩嫩又彬彬多禮，姚廣孝看著好歡喜，當場表示：『我帶你走，帶你去見見皇帝，讓他也見識見識小朋友的書法。』

姚廣孝是個和尚，釋名道衍。靖難之後，明成祖即位，為了感謝姚廣孝，多次勸他蓄髮還俗，並且賜給兩名絕色的宮人，但是，姚廣孝推拒了顏如玉、黃金屋，每天冠帶而朝，退朝以後，仍然換回和尚袈裟，住在廟裏。

姚廣孝帶著書法奇葩到了京師，見了永樂帝，明成祖也相當中意，當下決定：『不如你就拜姚少師為義父，朕賜你一個名字，叫做姚繼。』

從此，姚繼成爲姚廣孝的義子，並且負有一個任務——留在文華殿中陪伴太子讀書。這也算得上是因酒而產生的一段佳話吧。

說到了酒，還有一樁趣事。明朝初年，胡惟庸謀反，在塞外招集軍馬，並且勾結倭寇，最後，陰謀拆穿，被處死刑。

在胡惟庸結納權貴、廣收羽翼的階段，他經常請各路英雄好漢到家裏共商大計，除了上等的菜色之外，胡惟庸別出心裁，不知自那兒弄來一批小猴子。

於是，賓客一進門，兩旁站立的小猴子連忙打躬作揖，向賓客問安，禮貌周到，模樣有趣，而且還穿上小衣服，戴上帽子，人模人樣，眞是標準的『衣冠禽獸』。

小猴子雖然裝得一本正經，畢竟仍是猴子，抓抓耳，搔搔腮都顯得非常調皮可愛，逗得賓客們樂不可支。

小猴子會跳舞，會吹笛子，這些已經不稀奇了，最讓賓客感到有趣的是，小猴子會斟酒。中國人吃飯，最歡喜鬧酒，非鬧得不醉不歸，彷彿才能表示誠意。

胡惟庸爲了助興，還幫小猴子們取了一個頗雅的名字——孫慧郎。孫是小猢猻也，慧乃慧黠聰明也，郎則是男人的美稱也。

於是，猜拳行令之時，往往有人故意輸，然後就可以差遣『孫慧郎，快拿酒來』，一蹦一跳的孫慧郎立刻趨前，小心翼翼把酒斟滿，還露出『客人你還滿意嗎？』的愉快笑容，讓滿座客人開心得拍手叫好。

猴子本來擅長模仿，見到客人開心，乾脆也放下酒瓶，跟著拍手，咧開嘴，露出門牙，笑得好樂，衆人見猴子同樂，更加開懷，邊鬧邊玩邊飲酒，氣氛達到最高潮。

衆人又高談闊論，謂胡惟庸定遠老家井中生石筍，傳爲符瑞，又說祖墳上夜有火光燭天，傳爲異兆，胡惟庸啜飲著美酒，吆喝著孫慧郎，恍惚之間，似乎自己已成爲了皇帝。

閱讀心得

【第842篇】

明英宗廢除妃嬪殉葬制度。

從石亨叔姪之獄，到曹吉祥父子之反，歷史上稱之爲『曹石之變』。『曹石之變』是『奪門之變』以後的續曲，餘波蕩漾了五年，紛紛擾擾，是非不明，這一連串的發展主要歸咎於英宗的私心太重，總是過分地寵信內監與近臣。

曹石之變過了兩年，明英宗生了一場大病，臨終之前，英宗倒是做了一件好事，那就是廢除以妃嬪殉葬的陋習。

中國人認為皇帝是天子，除了生前享有三宮六院，死後也該有妃嬪殉葬才不寂寞，當然，並非每個朝代都是如此，不過，明朝自太祖、成祖、仁宗、宣宗、景泰帝身後皆有宮人殉葬，甚且受封在外的諸王也不例外。

明太祖是個勤儉的皇帝，相對的，他的後宮嬪妃在生活享受上比起前代遜色不少，洪武三年，他還命令工部打造一牌，懸於宮中，規定天子及親王的后妃宮人必須是良家婦女，也不得接受大臣贈送宮人。不過，他並不反對以嬪妃殉葬。

到了明成祖，明成祖是個雄才大略，卻也極端好色之君，尤其到了晚年格外荒淫，臨死之前幾個月，仍然要求朝鮮多送美女。

朝鮮接到命令，精挑細選了一位絕色佳麗韓氏到中國來，沒過幾個月，

成祖死了，這位韓氏與另一位先進宮的朝鮮崔氏，也在殉葬之列，兩位美人兒抱頭痛哭。

根據朝鮮的《李朝實錄》記載，這三十多位殉葬的嬪妃眞是紅顏薄命好可憐！

殉死的那一天，宮裡準備了一頓豐盛的酒菜，誰也沒有心情享用最後的一餐。隨後，這三十多人被領入一間大堂，大堂之中羅列著許多小木床。

這些平日嬌滴滴的美人兒一見小木床，以及一條一條懸掛的繩套，早已哭得不成人樣，脚也軟了，人也癱了。小太監一旁冷酷地監視著，宮人們一個一個被迫走上小木床，把腦袋掛在繩套中。

韓氏殉葬時，從朝鮮跟來的奶媽金黑也在場，金黑早已眼淚都哭乾了。

韓氏顫巍巍走上木床，淚汪汪套上繩索，轉過頭對金黑哽咽地哭道：『娘，我去了。』話還沒說完，小太監把木床撤走，脖子套在繩圈裡，身子懸空吊著，掙扎了兩下韓氏便香消玉殞了。

雖然，殉葬者的家屬被稱之爲朝天女戶，受到優恤，殉葬者也會得到一個好聽的諡號，但是，這又怎麼補償她們被斷送的青春歲月呢？

明英宗之所以會想要廢除陋習，因爲在明宣宗過世時，他還不過是十歲不到的小男孩，親眼目睹了這一幕殉葬的人間悲劇，實在是太可怕了。

由於英宗即位時年幼，因此，殉葬的人數，以及那些人該殉葬都由孫太后決定。孫太后是貌如仙女、心似巫婆，正好趁機會把一千情敵們一網打盡，因此，宣宗殉葬的規模最大，人數最多，另外，陪葬的宮女更是不可勝計，舉凡稍有姿色的，全都逃不過孫太后的魔掌。

孫太后表面的理由是不忍宣宗寂寞，其實，宣宗在世時，孫太后是寧可他寂寞，也盡量干預他去找這些嬪妃。

其中有一位郭嬪最爲可憐，入宮才二十天也在殉葬之列，郭嬪名叫郭爱，人長得秀麗，氣質極佳，而且極有文才，孫太后一見之下就翻了醋罐子，先把郭爱升了一級，成爲郭嬪，接著就要她殉葬。

這位『賢而有文』的美麗少女，既委屈又不甘願，但是，又有甚麼辦法呢？她在向鬼門關邁進之前，留下了一首哀歌，讀來十分悽慘。

『修短有數兮，不足較也，生而如夢兮，死則覺也。先吾親而逝兮，憐余之失孝也，心悽悽而不能已兮，是則可悼也。』

明英宗就是看過了這幕悲劇，不忍心再在自己身後重演，因此，他臨終之前，把李賢召來，對他說：『殉葬這一件事，太無謂了，從我開始，永遠永遠廢止。』

李賢聽到這一句話，對皇帝自心底泛起敬意，他站起身來，恭恭敬敬地跪下去，磕了個頭：『皇上聖德如天，臣不勝欽服歡欣之至。』

英宗這一念之間，多少無辜的後宮嬪妃，得以慶生，英宗也認爲自己能夠體念『上天有好生之德』，而十分得意。

李賢對太監裴當說：『皇上交代，萬年以後，不用妃嬪宮女殉葬，你不妨先宣示聖德，讓大家明白皇上天高地厚之恩。』

後宮妃嬪們原先惴惴不安，擔心會跟著殉葬，一聞此言，個個笑逐顏開，有劫後餘生的慶幸。

閱讀心得

【第843篇】

明憲宗愛上保母。

明英宗臨死之前，廢除殉葬制度，『人之將死，其言也善』，英宗對於自己做了這一件好事，覺得十分快慰。但是，轉念一想，大明江山將要由太子朱見深繼位，又愁上心頭，他對太子，實在是不滿意的。

英宗皺著眉頭，呼喚太監：『召太子。』

於是，太監裴當把皇帝勉勉強強扶下床來，設了一張靠背軟墊，啜了一口提神的參湯。這時，守候在外的太子已經進來，跪在地上。

英宗無神的眼睛，瞄了一眼太子，吃力地說：『自從太祖、成祖以來，我大明朝立長子傳位，就成了家法。你的資質各個方面都不如你幾個弟弟，但是，我依然遵守家法，讓你繼承皇位。』

『是，是。』太子哭得淚眼婆娑，抱著英宗的腳，由於太子口吃，發音困難，英宗格外不悅，英宗曾經考慮更換太子，又恐發生政爭，只好作罷。

英宗對太子的不滿，非只一端，除了太子遠不及弟弟們優秀以外，宮中盛傳，太子愛上了比自己大十七歲的保母阿菊，言之鑿鑿，讓英宗非常不悅。

明英宗曾經找周貴妃來問話，周貴妃也就是太子的生母。英宗懷疑地

瞅著周貴妃：『我聽說，太子與他的保母，一個叫阿菊的十分要好，可有此事？』

『沒錯。』周貴妃答得挺爽快。

『這未免太不像話了，他爲什麼要迷戀一個可以當他媽媽的女子？』英宗的火氣不自覺地往上冒，聲音也十分急促。

周貴妃依然淡淡地說：『這也沒有甚麼稀奇，像我們家鄉昌平縣，多的是六、七歲的小男孩，娶一個比自己大個十來歲的媳婦，平日由媳婦照料，到孩子成年以後再圓房，不也滿好的？』

『什麼話？』明英宗急著打斷貴妃的話：『那是貧家小户不得已的措施，我們是帝王之家，豈可相提並論？』

周貴妃所提的小丈夫習俗，確實是有的，所謂『十八大姐周歲郎』就是。一些個貧苦人家把女兒送去當童養媳，雖說是養女，其實是女婢，必須伺候一家老老少少，包括一個小不點的小丈夫。

最奇怪的是，有時小丈夫尚未出生，就先找個媳婦，理由是『以媳召子』，其實是利用廉價的勞動力。有時，嫁過來十多年，小丈夫才出生，若是盼來盼去盼不到，只好另嫁他人了。

無論是小丈夫、大新娘都是一件人間悲慘之事，因此才有流傳的民歌：『十八大姐周歲郎，每天每晚抱上床，睡到半夜要吃奶。』正說明中國舊時婦女受到無理壓迫的哀怨。

另一方面，小丈夫是童養媳帶大的，心理上依賴自深，很容易演變成爲怕太太的局面。

明英宗再看一眼太子，一臉不成熟的怯生生模樣，實在擔心他會成爲懼怕保母的小丈夫，忍不住長長地嘆了一口氣，用微弱的聲音說：『見深，我可是要把大明朝的天下交給你了。』

此時此刻，英宗眞是百感交集，除了身體的難受，還有心理的委屈，思前想後這一生，歷經土木堡之變種種，諸多不順，連番打擊。每一個人的人生，其實都是坎坷崎嶇，一般人總以爲，當了皇帝可以呼風喚雨，要什麼有什麼，殊不知皇帝也有百般不如意啊！

明英宗無奈地搖搖頭，太子一方面感激，一方面感傷，抱著英宗的腿，哭得搖搖晃晃。

英宗對太子說：『大明江山是祖宗傳下來的，你可要好好守成啊。』

天順八年正月，明英宗去世，十八歲的太子朱見深即位，是爲明憲宗。

憲宗是個膽小懦弱之君，再加上有口吃的毛病，愈著急愈說不出話，當憲宗害怕的時候，他第一個念頭就是找『姊媽』，所謂姊媽，就是憲宗的保母阿菊。

因爲憲宗過分依賴阿菊，在他即位以後，牽扯出一串鮮爲人知的宮闈秘辛，曲折離奇，幾乎不像是眞的，我們慢慢地從頭道來。

閱讀心得

【第844篇】

阿菊四歲入宮。

明憲宗爲何愛上比他大十七歲的保母阿菊？何況阿菊無才無貌，以旁觀者看來，這幾乎是不可思議之事。

且讓我們話說從頭。

明英宗的母親，雖說是孫太后，其實，孫太后（就是當年那貌美如花、心如蛇蠍的孫貴妃）未曾生子，英宗是一個宮女所生，宮女早被孫太后設計害死，歷史上並未記載姓名。

孫太后沒有生兒子，她倒是生了一個女兒常德公主。依照規定，皇子育於別宮，公主則可以與母親同住宮中。

宮中規制甚嚴，又都是爾虞我詐的成年人，孫太后想爲常德公主找一位小姐姐當玩伴，這個小姐姐要比常德公主長兩歲，並且要是山東人。

原來孫太后是山東人，口音甚重，除非山東籍的小女孩，否則聽不懂她的話。

沒多久，孫太后家鄉的親戚果然爲她物色了一位小女孩入宮。

這位小女孩，長得水靈靈的，不過才四歲大，已經可以預料得到，將來準是一位大美人兒。

當小美女乖乖巧巧走了進來，小臉蛋白裡透著粉紅，亮眼睛一閃一閃

的，誰看了都暗呼一聲：『這小女孩好可愛。』『彷彿上天特別打造的。』

小美女倒也不怕生，天眞無邪地不斷笑，這一笑更爲逗人憐。

不知道誰冒出一句：『咱們孫皇后當年入宮，也是一個小仙女。』

孫太后一聽這話，臉馬上放下來，世界上最美最美的女人就是自己，即使是四歲大的小女生，也絕對不能讓小女生給比了下去。

旁人一看孫太后變了臉，知道孫太后小器，這個小美女當然沒被選中，原因在那兒，大夥心中有數。

孫太后板著臉訓道：『我是要找一個吃苦耐勞、爲公主解悶的，可不是要找個人嬌嬌滴滴，等著被伺候的，你們會不會辦事？』

下一回，鄉親們自然知道，應該循相反原則物色人選。這就找來了阿菊，姓萬。

山東老鄉說阿菊只有四歲，但是阿菊粗手大脚，模樣似乎有個六、七歲，胖胖的，笨笨的，黑黑的，走起路來彷彿鴨子走路，最奇怪的是，臉上還給抹了胭脂，格外顯得土氣，一看就是鄉下的醜丫頭，這就剛好對了孫太后的味。她在阿菊笨拙的模樣之中，滿足了充分的優越感。

阿菊才不過四歲大，就懂得察言觀色，挺會伺候人，常德公主並不喜歡阿菊，倒是孫太后頗欣賞她。阿菊常常呆呆地凝視孫太后，然後搖搖頭道：『太美了，太美了！』

孫太后就得意地伸長了脖子，一副實在美得自己也受不了的模樣，所以，孫太后挺喜歡把阿菊拉在身旁。

阿菊四歲入宮，名義上是陪伴常德公主，卻成爲孫太后身邊得力的宮女，她雖然年紀小，模樣傻，看起來憨憨的，卻挺會辦事，孫太后的歪主意多，阿菊就成爲好幫手，孫太后在阿菊之前也毫不掩飾。於是，阿菊看到了孫太后如何在宣宗面前賣弄風騷，也見識到她欺負胡太后時如何的兇狠，對阿菊而言，這些都是很壞的教育。

土木堡之變，英宗被俘，景帝即位。此時，英宗之子朱見深已經被立爲太子。孫太后想，這個兩歲大的太子，可能小命會送掉，於是，找了阿菊前來商量，此時，阿菊已經十九歲，早經孫太后磨練成爲能幹的心腹。

孫太后說：『太子的母親周貴妃，這個人糊裡糊塗的，凡事粗心大意，我非常不放心，你不如到那兒，幫忙照料太子。』

阿菊一聽，心花怒放，趕緊回答：『不過，我人到了那兒，若是周貴妃胡亂下命令，對太子不利，我聽還是不聽？』

『這話倒是沒錯，你看，該怎麼辦？』

『我倒有一個主意，不如說太后想親自帶太子，把太子送到仁壽宮來，這樣，我也不必離開太后了。』阿菊回答道。

『你的心思倒細密！』孫太后誇獎道。

於是，兩歲的太子，送到了仁壽宮，阿菊，就成爲太子的保母。

閱讀心得

【第845篇】明憲宗坎坷童年。

土木堡之變，英宗被俘，孫太后擔憂兩歲的太子的安危，把他交給十九歲的貼身宮女阿菊照料。

阿菊好樂，緊緊地摟著太子，親著太子，喃喃地說道：『我阿菊未來，全都指望小爺了。』

阿菊四歲入宮，她心中最害怕的人是孫太后，最羨慕的人也是孫太后。孫太后的美艷是阿菊可望而不可及的。孫太后的手段，包括她設計讓宣宗廢掉胡皇后，搖身一變，自孫貴妃而爲孫皇后；包括她安排了一場假懷孕，自宮女手中奪來男嬰，也就是明英宗……這一些卑鄙的作爲，竟都成爲阿菊活生生的學習教材。

阿菊頗有自知之明，她知道自己長相普通，而且愈長愈胖，外表條件不佳，不易討人歡喜，因此她努力扮出老實害羞的模樣，讓人家以爲她是憨憨傻傻，沒有甚麼心眼的笨丫頭。

有一天，阿菊聽到宮裡頭有人竊竊私語道：『孫太后這個人實在手段太狠了，就算長得美又如何，倒不如阿菊，雖然生得不怎麼樣，卻有內在美，是個忠厚的好人。』

阿菊聽了，心中一喜，她正急於建立憨厚的形象。其實，知人知面不

知心，外表的美醜與內心的善惡完全是兩回事啊。

阿菊的內在，雖然與外表不一，平心而論，她對太子倒的確照顧得無微不至，或許正是因爲太周到了，太子顯得十分嬌弱，並且有嚴重的口吃。說起來太子也是命運坎坷。景帝景泰三年，景帝終於廢太子爲沂王，改立自己的兒子爲太子。

依照規矩，被廢的太子不能再住在宮中，因爲此不但在禮節上有諸多不便，對皇位的安全隱隱然似乎也有威脅。因此，景帝在皇宮外頭，爲被廢的太子——沂王蓋了一座王府居住。

後來，明英宗自瓦剌脫險歸來，住在孤寂的南宮，太子的母親周貴妃也在南宮照顧英宗，大家都愁雲慘霧，沒有誰有閒情去搭理太子。

自太子有記憶開始，阿菊就是他的一切，餓了渴了找阿菊；摔了跤膝蓋疼也找阿菊；阿菊有時對太子很嚴厲，過了一會兒太子又破涕爲笑，黏著阿菊撒嬌。阿菊喚太子爲『小爺』，太子則稱阿菊爲『姊媽』。

怎麼會有『姊媽』這一個奇怪的稱呼？原來太子口吃，話說不清楚。當英宗自瓦剌歸來，阿菊抱著太子去問安，英宗發現太子期期艾艾『姊姊……姊……，』個半天沒完，不但太子自己發音困難，連一旁觀看的人都覺得吃力，英宗便說：『不如改爲姊媽，說起來比較順口一些。』

太子被廢以後，人們改口稱之爲『沂王』，後來，奪門之變成功，英宗由太上皇又當了皇帝，太子又被稱之爲『太子』，這一連串的榮辱升沈，由於他年紀太小，不甚明瞭懵懵懂懂，懷抱著太子的阿菊爲此縈繞於心，天天祈禱，巴望太子早日再復位為太子。

太子記得，景泰八年正月裡，他剛玩過燈籠不久，有一天半夜裡，忽然之間聽到外頭吵得不得了，沒法子睡覺，他跑去問阿菊：『姊媽，怎麼啦？』

『噓，別吵！』阿菊一個大手掌，蓋住了太子的嘴巴，把太子摟入懷中，兩隻眼睛瞪得好大好大，耳朵豎起，仔仔細細聆聽著。

阿菊胖墩墩的，太子躺在懷裡，覺得好溫暖，好舒服，好安全，又實在是睏了，太子就糊糊塗塗的睡著了。

太子睡得十分香甜安穩，到了天剛魚肚白，突然之間，外頭鐘聲鑼鼓，熱鬧非凡。阿菊大力地搖晃太子，太子睡眼惺忪地張開眼，阿菊像發瘋似地摟著他又親又笑，連連地說：『老天爺保佑，萬歲爺回宮了，你知道嗎？你又是太子了。』

十歲左右的太子，不明白當太子有甚麼好處，見阿菊樂成這副模樣，也傻傻地跟著笑。一會兒，阿菊竟然又哭了，哭得天崩地裂，彷彿傷心委屈到了極點，太子搞糊塗了，他擦乾阿菊的眼淚，問道：『姊媽？你怎麼了？一下子哭一下子笑。』

阿菊收住了淚水，正色地對太子說：『等到你長大，你就會明白了。』

過了幾年，太子十六歲了，他果然明白了，也對阿菊油然而生感激之情，畢竟他們相依爲命了十多年之久啊。這個太子就是日後的明憲宗。

閱讀心得

【第846篇】吳皇后責打阿菊。

天順八年正月，明英宗去世，年僅十八歲的太子朱見深即位，是爲明憲宗，改元成化，大赦天下。

辦完喪事之後，宮中開始積極地籌畫明憲宗的婚禮，由憲宗生母周太后挑中吳氏。

對於吳氏，明憲宗是不滿意的，只是母命難違。更不滿意的則是阿菊，想憲宗自兩歲時交入她手中，從來『小爺』都是她一個人的，如今小爺熬成了『萬歲爺』，不再屬於阿菊一個人所有，阿菊心裡怎麼樣也不能平衡。

早在阿菊擔任姊媽的時代，就有宮女們暗中揣度：『阿菊如此寶貝小爺，待將來小爺娶了媳婦，阿菊可要成爲吃醋的婆婆了。』

誰也沒想到，阿菊決定不當婆婆，她要身兼媳婦，這也許是許多婆婆心中埋藏的願望吧。

明憲宗新婚不久，阿菊就打翻了醋罈子，她屢次教訓皇帝，不可貪戀吳皇后，免得耽誤朝政。

這件事被吳皇后知道了，十分不悅，她想，一個小小宮女，豈能如此張狂，顯然不明白誰是皇后。於是，皇后把阿菊找來坤寧宮，重重責罵阿菊，問阿菊道：『你知錯嗎？』

阿菊倔強地把眼睛投向別處，一句話也不吭聲，臉上的肌肉繃得很緊，彷彿看不起吳皇后似的，並且嘴巴翹得半天高。

皇后也動了氣：『瞧你一副不以爲然的表情，來人啊，給我用力打五十大板。』

接著，宮正司女官拿起紫檀戒尺用力地打了阿菊五十大板。阿菊痛極，卻勉強忍耐，絕不讓一顆眼淚滾落下來。

阿菊挨了打，回到了長寧宮，剛好憲宗來看她，阿菊立刻告狀，哭得昏天黑地，她本來胖，手厚厚的，被打了以後，更腫得半天高。

憲宗自小到大，從來沒見姊媽哭得如此傷心，一時之間，六神無主，只有不斷地說：『阿菊，你別哭，朕有辦法。』

『你非幫我出氣不可，否則下回我會被打死的。』阿菊誇張地說。

憲宗立刻找來太監懷恩，對他說：『你趕快把皇后找來，也狠狠打她五十大板。』

懷恩原是兵部侍郎戴綸的族弟，家世很好，宣宗宣德年間，戴綸被抄家，懷恩就被帶入宮中，當了太監，由於自小讀過書，與一般太監不一樣，極有是非觀念與正義感。

懷恩不肯執行任務，他稟報憲宗：『自古以來，皇后失德，未聞萬歲爺體罰之理，何況，皇后掌管後宮，這是皇后的職責。』

『哼，既然不能責罰，不如廢了皇后。』說著，皇帝氣咻咻地跑去找周太后。

周太后聽了，嚇了一大跳：『你們大婚才剛滿月，怎麼就要廢后，你去找李賢商量看看。』

『這是我自己的事，用不著問李先生。』憲宗賭氣道：『皇后打阿菊，不就等於打我？』

周太后搖頭：『那不一樣。』

但是，周太后也攔憲宗不住，何況，憲宗自小只聽阿菊的，在憲宗心目之中，保母比母親可親近得多了。

沒多久，皇帝就頒下了詔書：『冊立禮成之後，朕見吳氏舉動輕佻，禮度率略，德不稱位，不得已請命皇太后，廢吳氏於別宮。』

倒楣的吳皇后，才當了一個月的皇后娘娘就被廢了。皇帝改立王氏爲皇后。

廢掉了吳皇后，來了王皇后，阿菊雖然報了仇，對於自己當不成皇后，仍然心中忿忿不平。

皇帝親切地問阿菊：『這下子，你該如意了吧？』

阿菊默不作聲，她心高氣傲，野心很大的，只是皇帝不明白。

『阿菊，除了柏賢妃已封爲賢妃，你還有七個字淑、莊、敬、惠、順、康、寧可以挑，朕有意封你爲妃。』

『我不要這些，我要貴妃。』

『這……』

憲宗答不上話來了，因爲貴妃位於衆妃之上，僅僅次於皇后，阿菊出身低，實在夠不上格。

阿菊篤定地說：『等我生下一個兒子再說。』

『好，只要你生下兒子，我就封你爲貴妃。』

阿菊篤定地說：『我一定辦得到的！』

閱讀心得

【第847篇】

萬貴妃學習孫貴妃。

明憲宗自幼由保母阿菊帶大，後來，明憲宗愛上了阿菊，並且答應她，只要生下一個兒子，就封她爲貴妃。

阿菊最羨慕孫太后，孫太后當年就是孫貴妃。她多方尋覓『求子秘方』，終於在成化二年正月裏，如願以償地生了一個兒子，明憲宗遵守諾言，封阿菊爲萬貴妃，同時，派遣太監赴全國各地的名山大川祭祀，感謝天地的保佑與祖宗的恩德。

剛剛生下皇子的萬貴妃可神氣萬分，她頭一抬，志得意滿道：『誰能料到我阿菊竟然有今天。』

萬貴妃心想，只在宮中揚眉吐氣還不成，最好能到宮外去顯一顯，露一露，於是她慫恿憲宗：『皇上好容易才熬出頭來，天天悶在宮裏多沒意思，不如到外頭巡幸巡幸，開開眼界。』

憲宗年紀輕，玩心重，立刻就答應：『好啊！』

就這樣，胖墩墩的萬貴妃，穿上了訂製的戎裝，威風凜凜地騎在馬上當前導，憲宗則坐著轎子跟在後頭，前後左右簇擁了一大群侍衛，無論走到那兒，到處惹來許多民眾圍觀，萬貴妃狠狠地出夠了風頭。

每一回巡幸歸來，萬貴妃總要繞個道，到安樂堂外打個轉，原來，吳

皇后被廢之後，就被安排住在安樂堂之中。

所謂安樂堂，既不安也不樂，安樂堂旁邊是羊房夾道，是皇家動物園，裡面有老虎等動物。安樂堂位於夾道的西側，凡是年邁、生病或者犯了過的宮女都打發到這裏來，從此以後，過著黯無天日的生活。

由於有前車之鑑，因此，吳皇后被廢之後，憲宗再立的王皇后，從來小心謹愼，處處讓著萬貴妃，王皇后文雅嫻靜，自知絕非萬貴妃的對手，在外人看來，倒彷彿萬貴妃才是母儀天下的皇后娘娘了。

萬貴妃快活的日子沒過好久，因爲她生下的皇長子沒有福氣，竟然不到一歲就夭折了。

就在此時，柏賢妃傳出夢熊有兆懷孕了，明憲宗自然十分欣喜，萬貴妃卻愁上心頭。

萬貴妃找來太監梁芳，梁芳是萬貴妃最寵愛的親信，萬貴妃對梁芳說：『你知道該如何辦的。』

梁芳自然明白，萬貴妃希望柏賢妃流產，他點點頭：『此事不能急。』

『豈可不急，愈早解決愈好。』萬貴妃氣急敗壞。

柏賢妃人很機警，她明白萬貴妃的可怕，所以，御醫送來的安胎藥不敢吃，腰痠背痛，也不敢找宮女按摩，據說懂得指壓者可以弄傷胎兒。

萬貴妃希望自己能夠再懷孕，再生下一個兒子。但是，她與她最崇拜的孫貴妃一般，從此不再懷孕。

憤怒的萬貴妃心想，我不能有的，也不允許別人有。於是，她擬訂了三套方略。第一、萬貴妃盡可能死纏活纏黏緊憲宗。第二、萬貴妃只要一聽說皇帝在那個宮中，她就立刻跑去撒潑吵鬧，破壞憲宗的興致。第三、假如防範不嚴，果眞妃嬪傳出了懷孕的喜訊，萬貴妃就設法把那個胎兒打掉。

在這樣的情況下，妃嬪們個個害怕，甚且暗中祈禱，但願自己別讓憲宗給看上，否則，『萬胖子』準饒不過的。萬胖子是宮中人爲萬貴妃取的綽號，萬貴妃原本就胖，再加上中年發福，愈發壯偉。不僅妃嬪怕，憲宗對這個母老虎，其實也吃不消。

萬貴妃具有強烈的佔有慾，雖然她極力阻止，她總不能禁止憲宗往外發展，畢竟，皇帝的好色，不僅是權利還是義務，他具有傳宗接代的重責大任啊，所以，萬貴妃心情鬱悶極了。

梁芳為了滿足萬貴妃的貪慾，報告萬貴妃：『小的知道錢能、韋眷、王敬極為能幹，如果派他們出監大鎮，定能為貴妃採辦最好最美的珠寶。』梁芳又進言：『假如把神仙李孜省、僧人繼堯找來，可以幫貴妃不少忙。』

所謂神仙李孜省，其實是妖人李孜省，反正只要萬貴妃開了口，憲宗無一不照辦，萬貴妃仗著脾氣大，予取予求，憲宗樣樣依順。

閱讀心得

【第848篇】

萬安的登龍捷徑。

萬貴妃牢牢地抓緊明憲宗，憲宗對這位昔日保母是又愛又怕。萬貴妃仍然有兩件事引以爲憾，一是幼子夭折之後，始終未再懷孕，二是她出身寒微，沒有好的家世炫燿，而萬貴妃又是個樣樣喜歡和人比的女人。

萬貴妃的父親名叫萬貴，原是在縣衙門裡的小小差役，非常木訥老實，他做夢也想不到，他四歲送入宮的阿菊，竟然有朝一日飛上枝頭做鳳凰，當了貴妃，萬貴託女兒之福，做到了錦衣衛的指揮使。

萬貴對於明憲宗娶了比他大十七歲的阿菊，心中是頗不以爲然的，但是，這件事可沒有他說話的份兒。不過，每一次，當他收到皇帝頒賜的珍物，總是吩咐：『不准用，不准用，把東西登記下來就收藏好。』

萬貴接到厚禮，非但沒有喜形於色，反而憂愁滿面，即使禮物原封未動收藏妥當，萬貴仍然不停地嘮嘮叨叨：『福氣過去之後，就是災禍降臨的時候。』

萬貴妃最氣她爸爸這麼說，她的看法是『你老人家眞是有福不會享。』

鄉里的人也都嘲笑萬貴迂腐，萬貴自言自語道：『迂腐就迂腐，等到那一天，皇上發了脾氣，想要索回以前賜給我們的贈物，卻無法奉還，那才是罪上加罪了。』

萬貴其實最想不通的是，阿菊左看右看，實在不漂亮，據說還很像他這個老爸，萬貴攬鏡自照：『像我，還稱得上美嗎？何況宮中還有三千粉黛啊。』再加上阿菊脾氣挺大的，既潑辣又蠻橫，一點也不溫柔，因此，在萬貴的眼中，他的女兒是不可能長久得寵的。

萬貴有三個兒子，其中老二萬通，人如其名，自認爲自己是個萬事通，其實只是個沒出息的小商人，由於有姐姐萬貴妃這一層關係，也在錦衣衛中當指揮使，並且不時進獻一些類似九層象牙球的小玩意兒，獻給明憲宗賞玩。當然這個做姐夫的，不能太小器，總要自內庫之中，搬出許多金子銀子賞給萬通。

對萬貴妃而言，不論是父親萬貴，或者是兄弟萬通，全都是不夠看的小角色，讓好強好勝的她非常難過。

萬貴妃曾經請人畫過一幅萬貴的像，然後請老臣商輅寫一篇贊。所謂贊，是一種文體，用以讚美和歌頌，多半有押韻。

商輅毫不考慮的一口回絕了。

萬貴妃派來的使者仍不放棄道：『一篇贊，沒幾個字，卻有相當豐厚的潤筆。』所謂『潤筆』指的是請人作書畫文字的酬金。

商輅笑笑：『老夫文采不佳，不敢應命。』

商輅的文章上下推重，而且當年鄉試第一、會試第一、殿試第一，整個明朝，只有商輅是三元及第，很明顯的，商輅不願意替萬貴妃效勞，莫名其妙亂捧她一無是處的父親。

商輅不屑做的事，自然有人搶著做，搶得最兇的便是萬安。

萬安是正統十三年的進士，人長得很漂亮，長身魁偉，眉目如畫，雖爲翰林，卻不學無術，一心一意往上爬，首先他猛拍同年李泰的馬屁。什麼叫同年？同年是科舉制度同榜的人。中國人喜歡拉關係，因此同年往往是用來拉攏人際的法寶。

萬安刻意交結李泰，乃是因爲李泰是宦官李永昌的養子。中國人一向看不起太監，身爲太監的養子，在社會上並沒有什麼地位，李泰年紀比萬安小，同榜錄取分數又比萬安差，萬安卻口口聲聲李兄長、李兄短，李泰非常不安，總想找機會報答萬安。

所以，凡是朝廷之中有任何升遷的機會，李泰總是設法推薦萬安，有人看不過去，批評萬安：『萬安這人太會利用李泰，萬安不是眉州人嗎？與蘇東坡同鄉，蘇東坡怎麼出了這麼一個同鄉？』

李泰的養父李永昌既是太監，李泰當然聽到許多宮闈秘辛。有一回，李泰就談到萬貴妃急於求子之事。

萬安心想：『萬貴妃姓萬，我也姓萬，我們是本家啊。』於是，萬安找來一些『求子秘方』呈獻給萬貴妃，自稱爲『族姪』。出身寒微的萬貴妃，突然自天上降下一個進士出身的姪子，簡直是欣喜萬分，立刻告訴明憲宗：『我有一個姪子叫萬安，請你多多提拔。』

萬安終於找到了一條登龍捷徑。

閱讀心得

【第849篇】兩字尚書與萬歲閣老。

萬貴妃出身寒微，深以爲憾，一直希望能夠結託高門，抬高身價。正好有一名萬安者，正統十三年進士一心一意巴結權貴，自稱『族姪』……明憲宗向來習慣聽命於萬貴妃，因此，馬上拔擢萬安爲禮部侍郎兼翰林學士，入內閣參機務。萬安大喜，既然萬安自稱姪兒，那麼，萬貴妃三個兄弟萬喜、萬通、萬達，萬安一律親切地喚一聲『叔叔』。

在萬安三個『叔叔』之中，他與最爲狡猾的二叔萬通最爲投緣，兩人湊在一塊兒，總有說不完的話。

萬通發達了，萬通的太太也妻以夫貴抖了起來。萬妻有一次與母親回憶從前的苦日子，母女二人相對唏噓了大半天。

『你還記得當時咱們家窮，把你妹妹給賣了。』

『怎麼不記得呢？妹妹又吵又鬧哭了半天。』萬妻感慨萬千。

『母親可記得妹妹被賣到那兒去了？』

『我只知道是一個姓萬的四川人，人們稱他爲萬編修。』

四川人？萬編修？萬通的妻子迅速在腦中打轉了一下，咦，萬安不正是四川人，並且做過編修。

這一打聽之下，無巧不成書，萬通妻妹果然是萬安的小妾，這個小妾

貌不驚人，萬安原本沒有多大的興趣，現在發現關係不同，加上萬安元配正好過世，萬安趕緊擺了一桌子酒，大張旗鼓，把小妾扶了正。從此以後，萬通萬安由叔姪關係，變成了更親密的連襟，萬安的地位益加的牢固。

萬安靠著裙帶關係，一步一步往上爬，他自以爲得意，當然也少不了有人背後批評，萬安的同年，侍郎邢讓、祭酒陳鑑就看不過去，他倆經常公開批評『萬安靠著萬貴妃發跡，眞是辱沒了我們這一批正統十三年的同年。』

萬安也是讀過聖賢書的中國士人，內心深處也有矛盾與掙扎，只是利慾薰心，顧不了什麼禮義廉恥，所以，愈發不能忍受邢、陳二人的批評。

萬通爲表示夠義氣，安慰萬安：『兄弟我現在錦衣衛中當紅，誰不曉得我姐姐一言九鼎，隨便弄個案子，他二人就慘了。』

沒有多久，邢讓、陳鑑先後下獄，同時也被除了官。中國古代司法普遍黑暗，因此人們始終嚮往包青天，唯有在一片黑漆漆之中，才格外顯得青天耀眼，如果到處都是陽光，還需要甚麼青天呢？

萬通的妻子與萬通一般，瑣瑣碎碎，東家長西家短，是個標準的三姑六婆。她與萬貴妃很談得來，經常進宮聊天，一聊就是一整天，回家之後，憲宗的一舉一動一言一行，全都告訴了萬通，如此一來，萬通眞是萬事通了。萬通再一傳話，萬安更了解了宮中情形。

有一天，萬通對萬安說：『皇上有嚴重的口吃，你是知道的，因此他不喜歡上朝，也盡量能不開口就不開口，最近施純彥因爲獻了小計還升爲尚書，你可曾聽聞？』

『大夥都羨慕他的機智哩。』萬安接口道：『也虧他想得出來。』

按，明朝的規矩，皇帝答覆朝臣上奏，只須挺威嚴的一聲：『是！』

但是，換了口吃的憲宗可慘了，臉紅脖子粗，憋了個半天，仍然發不出音，既可憐又可笑。

因此，施純彥建議，不妨改口說『照例』這兩個字比較好發音，憲宗一試之下，果然如此，大爲高興，立刻升他的官爲尚書，所以，有人背後批評施純彥爲『兩字尚書』。

不過，天下之事豈能照例以『照例』二字打發過去呢？

成化七年冬天裡，憲宗上朝，彭時、商輅準備了一大堆的問題，準備請求憲宗裁決，這些全都是要緊的軍機大事。

憲宗本是草包，又結結巴巴不擅言詞，著實發窘，就在此時，萬安突然石破天驚一句『萬歲』，表示奏事已畢，接著在地上碰了一個響頭，依理萬安並不是奏事的頭頭，他沒有資格帶頭跪安（跪安是跪下來請安，表示報告完畢，叩謝皇帝），萬安突如其來的即興曲，弄得商輅、彭時二人不知所措，不得不跟著跪下喚『萬歲』，然後，退了下去，當然憲宗就不必說話了。

憲宗很欣賞萬安的解圍，所以，人們稱萬安爲『萬歲閣老』。

不論『兩字尚書』，或者『萬歲閣老』都代表著同一件事，那就是明憲宗無能無用。

閱讀心得

【第850篇】明憲宗巧遇紀小娟。

明憲宗愛上保母阿菊，封她爲萬貴妃，萬貴妃自從幼子夭折，未曾生育，把明憲宗盯得很緊，無論憲宗去找任何妃嬪，萬貴妃得到消息，必定前來吵鬧，憲宗不勝其煩，卻又無可奈何。

久而久之，明憲宗遊興大減，只要想到萬貴妃一手扠腰的茶壺狀，憲宗就覺得非常掃興。

有一天，憲宗極其無聊，對太監說：『朕想到內庫房去走一走。』

所謂内庫房，又稱之爲内藏，此不屬於國家的財政收支系統，而是皇帝個人的私人財產，稱之爲金花銀，明朝自英宗正統元年起，漕糧以每年一百萬兩爲準，除掉發給武臣俸祿十多萬兩以外，其餘均由御用，因此，天子的私人財產不少。

憲宗閒閒步入内庫房，突然眼前一亮，原來他發現一名少女，而且是極美的少女。她的氣質遠遠地超過三千粉黛的濃妝艷抹。

憲宗的興趣油然而生，他盯著少女問道：『你叫甚麼名字，在這兒做甚麼？』

『婢子名紀小娟，受命掌理内庫房帳目。』

『噢，你讀過書？』憲宗心忖，難怪談吐應對不一樣。

『是的，婢子之父，原是廣西賀縣土官，小時候，隨著家父唸過一些詩書。』

憲宗這才想起，大將韓雍，成化初年，曾經火燒藤甲兵，大破兩廣蠻寇，改大藤峽爲斷藤峽，並且俘虜了一批人入京，紀小娟大概就是這般入宮的。

『朕要考考你，目前庫房存金銀多少？』

『存金共十五窖，每一窖一萬二千兩，共計十八萬兩；銀子約一千四百八十萬兩，細數則待婢子取帳本。』說完，紀小娟捧來厚厚的帳本。

憲宗接過來一看，紀小娟登載的帳目收支出納一清二楚，並且一手蠅頭小楷極其娟秀，字如其人同樣不俗。

『你做得很好。』憲宗誇獎道。

紀小娟嫣然一笑，眼波流轉，憲宗心中怦然一動，情不自禁，把紀小娟攬入懷中，再加上此地沒有萬貴妃打擾，憲宗更爲心醉。

以後，憲宗又悄悄來找過幾回紀小娟，一次比一次著迷，沒有多久，傳出紀小娟懷孕的消息。

萬貴妃氣得發抖，牙齒咯咯地作響，當下做了三個決定：第一、嚴密封鎖消息，絕不能讓皇帝知道。第二、設法讓紀小娟流產。第三、把紀小娟趕到安樂堂中，讓憲宗再也找不著。

安樂堂位於羊房夾道，內有虎城，有牲口房，是當時豢養禽獸之地，可想而知，必定環境不良，氣味不佳。凡是宮女或老或病，就被發配到安樂堂，假如病久不癒，或是犯了更大的過錯，則被趕到浣衣局，顧名思義，所謂浣衣局就是洗濯衣物的地方。這一大群活得沒有希望、沒有目標，年華老去的宮女，從早到晚洗洗搓搓，等待死亡，實在是人間一大悲慘之事。

司禮太監懷恩生性鯁直忠誠，是太監中難得見到的好人，深受宮內太監們的敬畏，當懷恩知道紀小娟懷孕的事，心中大感欣慰，他對萬貴妃派來的太監李同說：『萬歲爺還沒有兒子，柏賢妃未來生男生女，現在還不知道。如今紀小娟懷了孕，這是天大的喜事，如果生個兒子，難保將來不會繼承皇位，萬一讓萬歲爺知道你準備把紀小娟懷中的胎兒打掉，你還要命不要？』

李同問懷恩：『那麼，依懷公公之見，我回去以後，如何向萬娘娘交代？』

『你不會說，紀小娟肚子裡是個腫塊，不是害喜。』懷恩篤定的回答。

李同想想不妥：『萬一貴妃知道了，我還要不要命？』

懷恩道：『凡事有我，你不用害怕。』

李同心中仍然害怕，不過，他同時也畏懼懷恩，懷恩是司禮太監，這是宮中太監最有權勢的職位，懷恩又是憲宗寵信的人，懷恩出身良好，他的族兄戴綸在宣宗時曾任兵部侍郎，因事被殺，懷恩的父親也被牽連而抄家，懷恩當時年紀尚小，被送入宮，閹割後做了小太監，到憲宗即位，升爲司禮太監。

李同心想，懷恩早有防備，想讓紀小娟打胎也不容易，只好回去謊報，騙一騙萬貴妃，拖一陣子再說了。

閱讀心得

【第851篇】

吳廢后保護紀小娟。

明憲宗成化五年，憲宗偶爾赴內庫，詢問內藏收支出納的情況，巧遇擔任內藏典守的紀小娟，小娟年輕貌美，辦事機靈，憲宗一見鍾情。沒多久，小娟傳出懷孕的消息，萬貴妃差人打胎，被太監懷恩阻止。……

紀小娟哭哭啼啼找懷恩謝恩：『懷公公，不曉得該如何報答你。』懷恩長歎一口氣：『你未來的路還難走的哩，現在萬貴妃以爲你是得了腫塊。但是一會兒肚子日漸隆起，得想法子避人耳目。』

紀小娟無限惆悵地摸一摸肚皮，不曉得該用什麼障眼法，才能讓別人看不見大肚皮，想到這兒，忍不住又淚漣漣。

懷恩警告道：『這不是哭的時候，當心哭多了，動了胎氣，對胎兒不好。』

這番話，把紀小娟的眼淚硬是收住了。

懷恩又繼續說：『你到了安樂堂，可以請吳娘娘幫忙。』

『吳娘娘？』紀小娟眼睛一亮。

吳娘娘就是吳廢后，也就是與明憲宗結婚才一個月，立刻被萬貴妃趕了下來，以『舉動輕佻，禮度率略』爲名，被送到安樂堂旁邊的玉熙宮這個冷宮中的倒楣皇后。

吳廢后青天霹靂，狠狠痛哭過一陣子。但是，沒多久，她便想開了。吳廢后本性善良，既熱情又好助人。到了安樂堂，因爲人緣好，大家都尊敬她，喜歡找她聊聊天解解悶，日子過得倒也不寂寞。

吳廢后一見紀小娟，清清秀秀、乖乖巧巧，忍不住就歡喜。同時，小娟是被萬貴妃迫害，才被趕到安樂堂來，與她遭遇相彷彿，如此一來，更有『同是天涯淪落人』的感受，因此，格外覺得親近，似乎，保護紀小娟懷中的骨血，成爲吳娘娘自己的責任。

在吳廢后的登高一呼之下，安樂堂中人人都對紀小娟伸出同情之手。但是，當紀小娟懷胎足月，生下小嬰兒，而且是個男孩子的消息，依然傳到了萬貴妃的耳中。

可想而知，萬貴妃怒氣沖天，她把李同找了來，一個大耳光甩下去，把李同踉踉蹌蹌跌了跤。

『你這個狗奴才，居然敢騙我，紀小娟的肚子裏是腫塊。』說著，萬貴妃又甩了一個巴掌過去，李同支持不住，跌倒在地。

『這個不能怪奴才，奴才上回去，遇到懷公公，懷公公告訴我，紀小娟面黃肌瘦，一臉有病的模樣，準是肚子裏長了腫塊。』

萬貴妃問道：『你就不會用用腦子，萬一是懷孕怎麼辦？』

李同回答：『奴才也問啦，誰知懷公公說，如果是皇子，有甚麼不好，奴才也不敢再開口。』

對啊，多一位皇子，對明朝，對皇帝有何不好，就獨獨對一個人不好，那就是萬貴妃，萬貴妃氣得不想再說，又用脚狠狠在李同身上踹了兩下：

『你去把張敏給我找來。』

張敏是乾清宮總管太監，張敏是福建同安人，雖然是太監，卻頗有幾分正義感。

萬貴妃拉長了臉責問張敏：

『你倒是聰明，替萬歲爺找了這麼一個小賤人。』

張敏慌亂地猛搖手：『奴才不敢，奴才不敢。』

『那個紀小娟在安樂堂裏生下一個小男孩，這件事你知道嗎？』

『奴才不知道。』張敏趕緊回答。

『是嗎？』萬貴妃狐疑地望著張敏，然後一咬牙道：『反正，這件事我就交給你辦了，隨便你採用什麼方式。』

『另外，你總該明白，萬一萬歲爺知道了，你該了解你的罪名。』

萬貴妃的一字一句，聽到張敏的耳朵之中，彷彿針扎一般，人人都說萬胖子心狠手辣，最毒婦人心，這話一點兒也不錯。

張敏離開昭德宮，立刻去找懷恩商量：『懷公公，依你看來，該怎麼辦？』

『你認為呢？』懷恩反問張敏一句。

『萬歲爺就只有柏賢妃生的一個兒子，總得多留一個。』

『對啊，這才是。』懷恩開懷地笑道。

於是，張敏向萬貴妃回話，就說紀小娟生下的兒子，已經被掐死了，萬貴妃不疑有他，冷冷地對張敏說：『諒你也不敢撒謊。』張敏心中忐忑不安，他做了一件他認為自己應該做的事，他也準備為這件事付出慘烈的代價。

閱讀心得

【第852篇】

冷宮裏的小嬰兒。

『哇！哇！』

成化六年七月裡，悶熱的溽暑天，在安樂堂，這一個悽悽慘慘的冷宮裡，竟然傳出一陣陣小嬰兒的啼哭聲，眞是歷史上的千古奇聞。

紀小娟一面揮汗，一面哄著懷裡的小寶寶，寶寶被逗弄笑了起來，露出兩個可愛的小酒渦，圍繞在一旁的宮女，個個伸長了脖子，七嘴八舌地討論著：『小寶貝長得好漂亮！』『皮膚又白又嫩。』『眞是一臉的聰明樣兒。』

凡是女人，因爲有先天俱來的母性，對小嬰兒沒有不感到興趣的，更何況這些在安樂堂中的女子，全是悲慘的苦命女子。自從被打入冷宮之後，只有孤孤單單終此一生，或者被發配到浣衣局中洗洗衣服。然而，自從紀小娟生了一個兒子，單調沉悶的生活之中，彷彿出現了希望與樂趣。

紀小娟把小嬰兒取名爲『阿孝』，阿孝挺乖的，聽著媽媽哼唱的搖籃曲，一會兒頭一歪便進入夢鄉。紀小娟用食指在嘴唇上比了一個『噓』的手勢，意思是『阿孝要睡了，大家不要吵。』宮女們全都輕聲躡腳的避開了，到了遠處，又開始『阿孝今天睡得多。』『阿孝似乎瘦了一些。』談論不休。

總而言之，阿孝長，阿孝短，阿孝永遠是她們最感到興趣的話題，似乎在阿孝身上，讓大家充分過足了叨念媽媽經的乾癮。

每一回，當大家談論得興高采烈之時，只要有任何一人迸出一句『如果，萬胖子知道了，不曉得會怎麼樣？』所有的人都陷入沉默與不安。

『不會的，不會的，我們之中誰也不會把天大的秘密洩露出去的。』

『柏賢妃的兒子，剛被萬胖子害死，可憐的萬歲爺，竟然無法庇護。』

這些被貶到安樂堂的，很多是長得漂亮、曾經被皇帝看上，惹惱了萬貴妃，被她一腳踢入冷宮的，談起萬貴妃，又氣又恨，格外地同情紀小娟母子。

雖然大家敵愾同仇，畢竟人多嘴雜，太監宮女閒來無事，多喜歡搬弄是非，吱吱喳喳。因此，小皇子一事，竟然沒有傳到萬貴妃耳中，實在是奇蹟。這一方面是萬貴妃人緣太壞，另方面則是大家擔心皇帝無後，大明朝後繼無人，人人似乎都體認，保護小皇子，似乎是無上的光榮與責任。

不過，對一個小孩而言，長年累月生長在暗無天日的地窖之中，實在極不衛生，曾經有幾次發燒生病，把紀小娟給急壞了，幸而吉人天相轉危爲安。

因此，有人建議紀小娟：『不如早一點把阿孝帶出去見萬歲爺，安樂堂裡養孩子太辛苦。』

紀小娟不知所措，轉問吳廢后：『吳娘娘，你看該怎麼辦？』

『萬胖子心狠手辣，阿孝一出安樂堂，很容易被她害死，總得等他長大些，會走路，能說話才能離開母親。』吳娘娘平靜的分析道。

紀小娟抽泣地說：『我知道，我生了一個兒子，萬貴妃總饒不過我的。我死不足惜，可是，如果阿孝也死了，我是不甘心的。』說著，紀小娟撫摩阿孝的臉蛋，萬分憐惜與不捨。

『所以啊，妳得再熬些時日。』吳娘娘道。

『其實，對我而言，能在安樂堂中，母子多相聚一段時日，也沒有什麼不好，以前在宮裡大家明爭暗鬥，過得好辛苦，倒不如現在，人人疼阿孝，充分表現人情味，覺得滿溫暖的。』紀小娟感慨萬千。

吳娘娘輕輕嘆了一口氣：『你能這樣想就好了。』

如此，春去秋來，阿孝一天天地長大。由於終日不見陽光，活動範圍有限，阿孝不是十分強壯，但是，紀小娟把他教得很好，極懂禮貌，又有教養，也開始認字，是個挺有氣質的小皇子。

紀小娟時時在幻想，假如有一天，皇上知道自己有一個小兒子，不曉得該有多麼興奮，想到這一層，紀小娟就有馬上跑出去報告的衝動。可是，一念及萬貴妃胖胖兇兇的可怕模樣，紀小娟又打了一個寒顫，甚且恨不得永遠別讓世人曉得這個秘密。

不論白天或是夢中，紀小娟腦中不斷地盤旋此事，同時，她也不斷爲阿孝裁製皇子的衣服，隨時準備讓阿孝亮相。

而對未來，紀小娟十分迷惘，一切都太戲劇化了，冷宮中竟然養育了一個皇子，未來會如何呢？只有讓命運來安排吧！

閱讀心得

【第853篇】明憲宗父子相認。

話分兩頭，紀小娟爲明憲宗在安樂堂育有一子，但是，明憲宗並不知情，朝野也完全不得而知，只曉得憲宗無後，大明朝後繼無人，這一切全是因爲萬貴妃之故。

因此，以太子太保兼文淵閣大學士彭時爲首，率領商輅與萬安，聯合上了一則奏摺，彭時下筆相當厲害，毫不含蓄，他單刀直入地說：『俗話說「子出多母」，今天嬪嬙甚多，維熊無兆，必陛下愛有所專，而專寵者已過生育之期故也。』

中國古人認爲夢中見熊是生男孩的徵兆，後人賀人生子稱夢熊之喜。彭時直言，明憲宗專寵一個人，而這個人年歲已大，過了生育期了，那個人自然指的是萬貴妃。

萬安自稱爲萬貴妃的姪子，他名列三閣臣之一，表面上不得不跟在彭時後面簽了名，私底下立刻向萬貴妃通風報信。

可想而知，萬胖子可氣壞了，對著憲宗又叫又吼：『聽說外面的人怪我不識大體，禁止萬歲爺去別的宮找嬪妃。』

『沒沒沒，沒的事。』憲宗一著急，原本口吃的他，更加期期艾艾。

『哼，還說沒有，彭時不是說我已過生育期了嗎？』

『本來就是。』憲宗嘆了一口氣。

『你說什麼?』萬貴妃扠著腰潑辣地一推憲宗:『好好,你爲了大明朝,趕快去找嬪妃,趕快生兒子去。』

話雖這麼說,從此以後,萬貴妃把憲宗管得更嚴,彷彿貓捉老鼠似的,只要憲宗有一點風吹草動,她立刻追殺過去,非鬧個驚天動地,才甘心。

明憲宗心裡也很苦,中國人講究不孝有三,無後爲大,他總不能害大明朝斷了後了。何況,任憑憲宗再無能,讓朝廷內外,上上下下全知道他是懼內的君主,總是丟臉丟到家的倒楣事。

長期鬱悶的心理壓力,使得明憲宗未老先衰,看他步履沈重、神情枯槁的模樣,活像一個小老頭,那像年方二十九歲的青年人。成化十一年春天裡，一個風和日麗的清晨，張敏爲憲宗梳理頭髮，憲宗懶洋洋地斜靠在座椅上，忽的發現張敏的梳子上有幾根白頭髮。

憲宗長長吁一口氣：『唉，這會兒，頭髮都白了，到現在還沒一個兒子。』

張敏與懷恩二人，互相使了一個眼色，點一點頭，雙方都認爲，這是打開天窗説亮話的時候了。

於是，張敏倒吸一口氣，直直跪下，磕了一個響頭道：『恭喜萬歲爺，萬歲爺已經有個好兒子了。』

『什麼？』明憲宗以爲自己昨晚沒睡好，八成是想兒子想瘋了，連忙追問：『你剛才説甚麼？我沒有聽清楚。』

張敏看看窗外無人，立刻跪下叩頭道：『奴才說了實話就死定了，請萬歲爺作主。』

『你說，朕保證你的安全，快說！』憲宗站了起來，顯得十分激動。

這時，懷恩也趴在地上，老淚縱橫地說：『沒錯，萬歲爺的的確確有個小皇子，養在玉熙宮，已經六歲大了，奴才一直不敢稟報皇上。』

明憲宗著急地問：『是誰生的？』

『紀小娟。』張敏回答。

憲宗當然記得紀小娟，記得內庫房，紀小娟慧黠的大眼睛，溫溫柔柔的一舉一動，實在讓憲宗懷念不已。他曾經去內庫房找過紀小娟，失落空返，不問也知，準是風聲洩露，又被萬貴妃給攆了，憲宗心中有數，頗爲悵惘，怎麼，這一會兒，紀小娟又出現了，還爲他生了一個兒子，天啊。

憲宗一著急，結結巴巴更嚴重了：『快，我們立刻前往西苑。』

懷恩先派了人通知紀小娟，紀小娟緊張得兩手兩脚不住地發抖，怎麼也停不下來。

吳娘娘安慰紀小娟：『別慌，我們盼了六年，不就盼望這一天嗎？』

『對，對，阿孝一定表現得很好。』紀小娟花了好大的力氣，才讓自己安靜下來。

紀小娟替阿孝換上一件小紅袍子，白皙的臉蛋配上紅色衣服，越發顯得可愛。紀小娟看著孩子，一陣無名的辛酸湧上腦門，淚水像泉水般流了出來：『兒啊，你這一去，娘怕再也見不到你了。』

『娘，那我不要去了，我不要離開你！』阿孝緊緊抱住媽媽。

『乖孩子……』小娟拍拍阿孝的頭：『你還沒見過你爹，等一下你見到一個穿黃袍、有鬍鬚的人，那就是你爹。』

關於有朝一日，阿孝與皇帝相認，該如何表現，紀小娟教過了一回又一回，如今，正戲即將上演，紀小娟緊張得手心發汗，心臟彷彿隨時要跳出口外。

紀小娟牽著阿孝，走出地窖，這是阿孝頭一回見天，吳娘娘對懷恩說：『眞命天子交給你了，你要小心。』

『是。』懷恩答得響亮。

阿孝生長在冷宮，出生以來，還沒有剪過頭髮，所以頭髮留得長長的幾乎到地，走起路來，長髮飄逸，更顯出一分純眞可愛，阿孝隨著懷恩來到了殿上，阿孝不怕生，四下一看，端坐中央，嘴唇上有毛的人正對他笑，阿孝也笑嘻嘻奔上前，撒嬌地開口：『爹爹，爹爹。』

明憲宗簡直樂壞了，一把抱起阿孝，仔細端詳，眉清目秀，細緻可愛，連忙親了又親阿孝的小臉蛋：『對，我是你爹爹，你叫什麼名字？』

『我叫阿孝。』吐字極爲清晰。

『太好了。』憲宗笑得合不攏嘴。

從來沒有見過天的小皇子，終於重見天日了。這個小皇子就是日後的明孝宗。

閱讀心得

【第854篇】

紀淑妃的遺恨。

由於萬貴妃的悍妒，明憲宗一直爲無後而煩憂，突然之間，冒出一個小男孩，身穿小紅衣，乘著小車子，長髮披地，笑咪咪奔入憲宗懷中，歡歡喜喜對著憲宗喊『爹爹』，憲宗眞是驚喜交迸。

他把小皇子抱在膝前，看了又看，忍不住哭了起來：『這是我的兒子，長得多麼像我啊。』朝廷群臣聽到消息，互相道賀：『大明朝終於後繼有人了。』憲宗請商輅爲皇子取名字，商輅翻了半天古書，想了『祐樘』兩個字呈給憲宗。

憲宗問：『這是甚麼意思？』

『樘乃柱子，一柱擎天也。』商輅恭謹地回答。

『好一個一柱擎天。』憲宗十分滿意。

接著，憲宗召見紀小娟，六年不見，紀小娟依然美麗，由於少見陽光，益發白皙細緻，生活的磨練，也讓她多了一分成熟與穩重。憲宗目光緊緊盯著紀小娟：『小娟，這幾年苦了你。』

紀小娟用力咬住嘴唇道：『萬歲爺，我們母子依然恐懼。』

明憲宗貴爲皇帝，竟然不能保護心愛的女人與骨肉，這也是歷史上罕見的事。憲宗心中不能說毫無愧意，他卻只能在打結的眉頭再打一個死結，

長長地吁一口氣：『朕實無能爲力。』

自從紀小娟母子出現後，萬貴妃就像發了瘋似的又吵又鬧，她把太監張敏找來拳打腳踢：『你說，紀小娟這個小賤人的兒子不是早就死了嗎？原來是你騙了我。』

萬貴妃步步設防，自以爲做得滴水不漏，竟然出現如此戲劇化的父子相認，她無論如何也不能接受。

明憲宗當了皇帝，阿菊這個比憲宗大十七歲的保母居然成了萬娘娘，不知惹來多少艷羨，但是，她不快樂，充滿了仇恨，每一個年輕貌美的妃嬪全是她的死敵，她恨不得把她們全部消滅，由於心情煩悶，只好用吃來洩憤，愈吃愈胖，她也曉得宮中人暗地裡稱她爲『萬胖子』，這使得她對其他婀娜多姿的妃嬪更加嫌惡到了極點。

紀小娟，紀小娟，當初就該殺了這個紀小娟，萬貴妃彷彿成爲咆哮的母獅子，誰也不敢親近她，一向怕她的明憲宗更畏懼三分。

小皇子露臉以後，紀小娟被封爲紀淑妃，從安樂堂中搬了出來，遷到永壽宮，她也一樣不快樂。紀淑妃看到明憲宗以後，她心裡很難過，她常常在心中吶喊『萬歲爺啊，六年前，你不能保護我們母子，六年後你依然如此懦弱嗎？』

王皇后找了紀淑妃問話：『你搬到永壽宮兩個月了，你知不知道，爲甚麼迄今爲止，小皇子還沒有被立爲太子？』

紀淑妃垂著頭：『我也不曉得，天天在盼，天天不安心。』

王皇后道：『你想想看，萬胖子氣得快瘋了，如果有一天，你母以子貴，當了太后，萬胖子還得向你磕頭，以她如此剛烈的性格，這一口氣如何能夠忍得下去？』

紀淑妃失魂落魄尖叫起來：『天呀，這該怎麼辦？』

王皇后怔怔地望著紀淑妃，只能嘆氣。

過了沒有多久，紀淑妃暴斃。

關於她的死，有三種說法：

其一，有人說，萬貴妃愈想愈怒，乾脆找了一個殺手，把紀淑妃給殺了。

其二，也有一說，紀淑妃擔心兒子的前程，趁著宮女不注意，悄悄上吊而死。

另有一說，紀淑妃因爲壓力太大，不支昏倒，萬貴妃差遣了一位御醫前來診治，三兩下便藥到命除。

紀淑妃暴斃的同時，『騙』了萬貴妃的張敏，因爲不堪萬貴妃無盡的折磨，在花園樹叢之下吞金而死。

懷恩十分地難過，忍住眼淚向憲宗稟報：『紀娘娘死了。』

『怎……怎麼一回事？』憲宗不勝詫異。

『外界有不同的說法。』懷恩哽咽道。

反正，無論是那一種說法，都與萬貴妃脫離不了關係，明憲宗也不想再追究，只是皺緊眉頭道：『朕實無能爲力。』

好一個無能爲力。

閱讀心得

【第855篇】

萬貴妃請吃點心。

明憲宗無後，朝野憂心，因此，當紀小娟帶著小兒子翩然出現，群臣相賀。可是，等了又等，始終沒有傳出冊立太子的消息，外界不免議論紛紛，猜測原因。

『萬歲爺想兒子都快要想瘋了，爲甚麼還不趕快冊立？』

『因爲萬胖子會不開心。』

『事關國本，還管她的心情如何？』

『你可以不管，萬歲爺不這麼想。』

大臣們心中都有一句話，擱在心裡不敢開口：『奇怪，天子乃一國之尊，萬歲爺怎麼這般無能。』

的確，憲宗優柔寡斷，平庸無能，他只會鎖緊雙眉，沉痛地說：『朕實無能爲力也。』

紀小娟離奇死亡，明憲宗自不免傷感。但是，想到這樣也許可以消滅萬貴妃的醋意，反而有如釋重負的輕鬆。再說，當初謊報紀小娟兒子已死的張敏也吞了金，憲宗這才鼓起勇氣，向萬貴妃試探立儲一事。

『好啊，這是件好事，愈早辦妥愈好。』萬貴妃回答得異常爽快，倒讓明憲宗十分意外。於是，小阿孝便順利地被冊封爲太子。

萬貴妃其實心中還有另一層用意，她自認爲對帶孩子有一套，畢竟是保母起家的，小孩子懂什麼，還不是有奶就是娘，只要她拿出當年對付憲宗的功夫，喪母的太子保管會服服貼貼，叫他往東他不敢往西。

不過，萬貴妃忘記一件重要的事，當年，她還是阿菊的時代，人人都誤以爲她只是個溺愛小孩、忠心盡職的好保母。現在萬娘娘，狐狸尾巴早就露出來了。第一個對萬貴妃起了戒懼之心的就是周太后。

周太后問憲宗：『你說，現在紀淑妃死了，你準備讓誰來撫養阿孝？』

『自然是王皇后。』憲宗回答。

『不成，王皇后一向是明哲保身，膽小怕事，她接不了這個擔子。』

太后心忖，以王皇后的性格，只要萬胖子一吼，難保她不把太子雙手呈上，送給萬貴妃宰割。

『阿孝就由我來撫養吧，你要看他，也得來這兒。』

『是的，』明憲宗對這件事沒太多意見，對於得來不易的太子，似乎也沒有太多的珍惜。

從此，阿孝留在太后的仁壽宮，太后對於年幼失母，自小生長在地窖的乖孫，可是有說不盡的疼愛。

萬貴妃開始進行拉攏太子的工作。有一天她派人面報太后，就說準備了精緻的點心，請太子過來玩一玩，嘗一嘗。

太后一聽，臉都嚇白了，又不能不讓太子去，只是左一遍右一遍提醒太子：『到了那兒，甚麼都不許沾、不許吃，否則就會中毒而死。』

萬貴妃是北方人，擅長做麵食，想明憲宗小時候，就對阿菊保母這身手藝迷戀萬分，她力氣大，揉出來的麵韌性高，口感特別好，如今，貴爲萬娘娘，老早不下廚，這一回，爲了刻意討好七歲的太子，特別下廚指點一二。

太子一來，剛剛坐定，萬貴妃堆著滿臉笑容，親自捧來一個熱氣騰騰的蒸籠，嘴裡忙著說：『你來得正巧，剛好蒸熟了包子。』

萬貴妃一打開，哇，好香好熱，她先示範說明：『這包子皮薄，裡面有一汪子湯，吃的時候要眼明手快。』

於是，萬貴妃先用手抓住包子的縐摺處，輕輕咬破包子皮，把其中滋味鮮美的湯吸飲下肚，然後再慢條斯理的吃空包子的皮。

阿孝張大眼睛，一眨也不眨地望著她把包子咬破，湯汁外溢。阿孝不斷地嚥口水，實在想用手抓一個來嘗嘗，卻是猶猶豫豫不敢動手。

萬貴妃驚訝地望著阿孝：『你不喜歡吃包子？』

『嗯，剛剛吃飽了來。』阿孝故意拍拍肚子。

『那麼，你吃一點炸小丸子，你父親小時候最愛吃的。』萬貴妃轉身又捧了一碟小肉丸來。

小丸子看起來好漂亮啊，外面焦焦黃黃的，裡面酥酥嫩嫩的，萬貴妃把筷子遞給阿孝：『蘸一點兒花椒鹽吃，又鬆又細，包準你還想來一盤。』

阿孝眞是痛苦極了，彷彿所有的饞蟲都到了喉嚨，他用筷子夾起一個小丸子，正要放入口中，想一想，又把筷子擱下，拍拍肚子，故意說：『眞的飽了。』

萬貴妃無奈，苦笑道：『好吧，那我們就來一點杏仁酪吧，這可是熬了一個早上的。』

萬貴妃捧了一個小鍋，芳香撲鼻，阿孝狠狠地嗅了兩口，那黏糊糊、甜滋滋的甜湯一定很好吃，他最愛甜食了，最好能吃兩碗三碗。可是，萬一吃了肚子痛，死翹翹就不妙了，於是，他用力地搖搖頭道：『不行，不行，我飽了。』

萬貴妃火了，她拿起調羹準備硬餵：『這小小杏仁酪，就是再飽也可以吃的。』

『不成，不成！』阿孝慌了，一手摀著嘴：『我怕裡面有毒。』

『你說甚麼？』萬貴妃氣炸了，血盆大口張得好大，好像要吃人的樣子。阿孝看著害怕，頭也不回地往前逃命，一路奔回仁壽宮去找太后去了。

閱讀心得

【第856篇】黑色怪物入襲皇宮。

萬貴妃請太子吃點心，周太后不好意思不答應，雖然千叮嚀萬囑咐不能吃不能吃，到底太子還只有七歲大，小小年紀怎有能力應付鴻門宴。

因此，太子一出門，太后就後悔了。她一個人搓著手，走過來又走過去，直懊惱不該答應阿孝去。『萬一，阿孝中了毒，我怎麼對得起紀小娟？』『萬一，阿孝也被萬胖子給害死了，大明朝無後人，我豈不成了國家民族的罪人了。』

想到這兒，太后的心撲通撲通跳個不停，跳得她眼冒金星，幾乎昏厥。她在屋裡坐不住了，乾脆站到園子裡等候愛孫。

正在發愁時，阿孝遠遠奔來，一路跑一路叫奶奶，叫得好悲切，好著急，太后張開手迎接，把阿孝摟在懷裡：『不怕，不怕，回來就好了。』回到仁壽宮，阿孝收乾了眼淚，在太后安慰之下，又展開了笑顏，他仰著頭得意道：『萬娘娘請我吃點心，我一口也沒吃。』似乎是小英雄。

『後來，萬娘娘好生氣，樣子好可怕。』

太后歎氣道：『阿孝眞乖，我們下次不去了。』

阿孝摸摸肚子：『現在，倒有點兒餓了。』

太后拉起阿孝的小手：『不如去吃甜蜜蜜的百果糕。』

阿孝叫了起來：『好噢！』

太后望著阿孝，一手抓一個糕，糖屑吃得滿臉，忍不住笑了起來，心想，畢竟是個七歲的寶寶，難爲他了。下一次再也不可冒險。

另一方面在昭德宮，萬貴妃大發脾氣，自從她貴爲萬貴妃，沒人敢在她面前說一個不字，沒料到今天竟栽在一個七歲毛頭的手中。

萬貴妃氣得猛拍桌子，又甩了一個倒楣宮女的耳光，她歡喜戴戒指，五根手指上倒有七、八個戒指，凸起的寶石把宮女的臉都刮破了，手腕上的玉鐲金鐲彼此相碰，更增加了驚心動魄的效果。

『你們說，他才這麼小，心眼這麼多，將來有一天若是當了皇帝，豈不把我給吃了。』萬貴妃恨恨地咆哮著。假如這一刻阿孝還在她的面前，萬貴妃很可能親手把阿孝活活給掐死。

所向無敵的萬貴妃，經過這一番折騰，竟然病倒了，而且病得不輕，偏偏這段期間，宮裡頭不曉得打那兒飛來一群小蟲子，黑壓壓的一大片，螫起人來，腫一個大包，癢得要命，萬貴妃火氣旺，恨得大嚷：『好啊！連小蟲子也來跟我過不去了。』打蟲子打不著，她力氣大，抓起癢來特別用力，身上、腿上到處一條條血痕，爲此，萬貴妃脾氣更大，病情更惡。小蟲咬起人來，可不管你是不是皇帝，因此，明憲宗也被咬得遍體鱗傷，夜夜不得安眠。

中國古人是相當迷信的，所以，馬上有人稟報憲宗：『萬娘娘的病，是由黑眚（災難之意）所引起，宮中擾人的小蟲，同樣也是黑眚在作祟。

假如不馬上處理，可能還會有接二連三的災禍。』

『那該怎麼辦？』憲宗一著急，說起話來又結結巴巴的。

『趕快請法師做個七天七夜的水陸道場。』

憲宗立刻吩咐下去，以後的七天七夜天天數日子，期盼七天之後，一切恢復正常，不料，七天下來，小蟲子愈來愈多，多到一張開口，幾乎就可以吞入小蟲。憲宗煩極，連連唉聲歎氣：『這個黑眚怎麼法力無邊，陰魂不散。』

就在此時，黑眚出現了！

民間盛傳，有一種怪物出沒，牠有金色的眼睛，修長的尾巴，看起來像一條狗或是一隻狐狸，背後籠著一股黑氣，趁著夜晚襲入人家，黑眚一出現，全家人都會昏迷不醒。

謠言愈傳愈烈，最後傳到宮裡，並且有人言之鑿鑿：『小黑蟲就是黑眚的先遣部隊，由此證明，黑眚即將出襲皇宮。』

憲宗聽到消息，嚇得手腳發軟，出於本能地去找萬貴妃，萬貴妃氣息奄奄，也說不出個主張來。

一天清晨，憲宗在朝天門接見文武百官，突然之間，一名侍衛像殺豬般呼喊：『不得了，黑眚出現了。』

眾人驚成一團，急忙找網子、尋棍子，想要逮捕黑眚，卻不見黑眚蹤影，嚇昏了的侍衛醒來之後卻指天發誓，他果然看到民間傳說的怪物。

一連串的離奇事件，讓明憲宗傷透了腦筋。

閱讀心得

天狗吃掉太陽。

【第857篇】

明憲宗成化十二年，宮裏接二連三的出事，先是萬貴妃病倒，而且病勢不輕；繼而不知自那兒飛來一群群小蟲，螫人肌膚，癢得難受；緊接著黑色怪物黑眚出現，把憲宗嚇得死去活來。

無巧不巧，七月九日，北京出現日蝕，朝廷震驚。日蝕的原因是月亮走到太陽與地球之間，形成一條直線，因此，日光被月亮遮住。

中國古人不了解日蝕的道理，以爲太陽是被天狗給吃掉了，北京城的居民個個驚惶失措，拿著炒菜鍋子鏟子就往屋外跑，大聲地用力地敲擊著，要把天狗趕跑。

過了一陣子，太陽出現了，大家很高興天狗被趕走了，卻也紛紛議論不休，既然日蝕代表上天的警告，顯然是皇上的聖明受到了雲翳的遮蔽，同時意味著皇上嚴重的失德。

明憲宗大驚失色，立刻在二十四日於內宮之中設案行祀，躬禱天地，並且以『用度不節，工役勞民，忠言不聞，仁政不施』自責。

大學士商輅一心爲國，他心想，好不容易皇帝有個機會暫時沉潛，曉得檢討自己，因此上了一個奏章，提出了消弭災禍的八件事，具體的指出皇帝日後應當：『一、不要再對番僧國師法王濫賜印章。二、除了四方例

行的貢品外勿再接受呈進上來的珍奇奉獻。三、准許諸臣直言。四、減少冤獄。五、停止不急著需要的營造工程。六、充實邊境國防的軍事儲購。七、加強沿邊關隘的工事設施。八、設置雲南巡撫。』

商輅是明朝唯一連中三元的內閣首輔，他所提的八件事多半是憲宗平日的作爲，趁此機會把明憲宗所犯的錯誤，一股腦兒地全抖了出來。

憲宗豈是虛心納諫的君主，他看了商輅的奏章，氣得臉都白了。但是，宮中接二連三出事，如今連太陽都不見了，畢竟是事實，因此，不得不下令對商輅『優詔褒納』。但願老天爺能夠息怒。

偏偏就在憲宗努力彌補過失之時，宮裏又出事了。

事情是這樣的，宮旁北海之中，有一座瓊華島，島上有一座萬歲山，風景優美，地勢高亢，站在上面的廣寒殿，整個大內盡入眼底，從遼金到元朝，向來是皇帝們最歡喜留駐之處。

到了明朝明成祖之時，他曾經再三告誡宣宗：『不許去廣寒殿遊玩，那兒相當於宋徽宗的艮嶽，宋徽宗迷戀花石綱，騷擾天下，北宋因而滅亡，爾等應當以此爲戒。』

既然是成祖的警告，不論是宣宗、英宗、景帝都乖乖聽話，誰也不敢去廣寒殿玩耍，久而久之，那兒就逐漸荒廢了。

可是，這一段日子，有人遠遠發現，萬歲山上人影幢幢，彷彿又是鬼怪出現。

懷恩老太監不信邪，他跑去找錦衣衛都指揮使袁彬，要求他『務必查一個清楚』。

袁彬是明英宗流落在瓦剌時的恩人，辦事十分謹慎踏實，當下就派了一批人馬直登萬歲山，果然現場逮到一名妖裏妖氣的道士李子龍，他正一手搖鈴，一手舞劍，口中喃喃自語地作法事，另有三名太監鮑石、鄭忠、韋寒也在旁邊。

經過袁彬等人的徹底調查，發現這個李子龍原名侯得權，小時候出家當和尚，化緣到了河南，遇到一位道士，傳授給他符術，所以，侯得權就蓄了頭髮，改行當了道士，侯得權人如其名，非常想要得到權力，他聽說陝西一帶，最近出現了一位奇異之士，天賦異稟，有不少神奇的傳說，這位奇人名叫李子龍。於是侯得權腦筋一轉，把臉一抹，從此改名換姓，成爲冒充的李子龍，活動於眞定一帶，設壇賣符，妖言惑衆，倒也招徠了不少愚夫愚婦。

後來，李子龍到了京師，闖出了一點名堂，並且在楊道仙的家裏認識了宦官鮑石等人。

李子龍裝模作樣對這幾個迷信、無知又頭腦簡單的宦官說：『大明朝氣數已盡，當今皇帝雖有一個兒子，遲早小命不保，我在睡夢之中，屢次得到神仙的指點，特來北京城內尋訪眞命天子。』

由於憲宗的無能、萬貴妃的專權、太子的岌岌可危，旁人不知道，太監們可一清二楚，所以，鮑石、鄭忠等人非但深信不疑，並且尊李子龍爲上師，希望藉著上師的指點，早一些發現眞命天子，以後也好藉擁戴之功，多享受榮華富貴。

就是如此這般，宦官們才帶領李子龍，鬼鬼祟祟到了萬歲山，登臨廣寒殿，居高臨下，觀察大內，希望藉著李子龍的無比法力，能在茫茫人海之中覓得眞命天子。

閱讀心得

【第858篇】汪直俊俏狡黠。

中國古代的皇帝手握無限大權，威風八面，但是，內心都有一層揮不去的恐懼，那就是害怕有人會奪他的皇位。

明憲宗正爲此而忐忑不安。

他先爲日蝕而憂心，沒多久，有一個原名侯得權，後來改稱李子龍的人，以妖術結交宦官，竟然私入廣寒殿，圖謀不軌。

明憲宗很著急，他追問錦衣衛都指揮使袁彬：『你告訴朕，他們究竟準備如何圖謀不軌？』

袁彬不敢據實回答，因爲李子龍對外宣稱，當今皇上失德無能，明朝氣數已盡，該是尋訪眞命天子的時候了。袁彬心想，他若是誠實以告，器量狹小的憲宗必然惱羞成怒，就算袁彬是明英宗的恩人，憲宗依然會大發雷霆。

因此，袁彬只好淡淡地敷衍：『沒甚麼，反正事情過去了。』

憲宗不滿意：『他們想造反，策劃了好久，怎麼錦衣衛一無所知？』

『錦衣衛平日不宜過多擾民。』袁彬平靜地解釋。

憲宗幾乎衝口而出：『不擾民結果就成了擾君。』轉念一想，袁彬到底是先帝的恩人，也就沒開口。

關於李子龍等人，沒有二話，自然是問斬。但是，去了一個李子龍，若是再來一個李子龍又該如何？憲宗眞是憂心極了。

從小到大，憲宗碰到困難，直覺的反應就是找保母阿菊，所以，阿菊成爲萬貴妃，依然是憲宗心中依賴的對象。

萬貴妃躺在病床上，氣息奄奄，但是，腦筋依然活絡機靈，她對憲宗說：『萬歲爺爲何不自己派人出去打探消息，比錦衣衛管用得多。』

憲宗一拍大腿：『對啊！何不仿照東廠故事？』

東廠是明成祖設立的特務機關，負責偵緝與刑獄，上自官府，下至民間，都有他們的蹤跡，親信太監結合地方流氓，設立而成執行屠殺的人間地獄。

對民衆而言，東廠是欺壓善良，陷人入罪的恐怖機關。對君主而言，東廠可以打探外界消息，防範逆謀，造福朝廷，值得仿效。

憲宗興致勃勃地追問：『構想雖好，得有得力的人去指揮才行。』

萬貴妃立刻接口：『就找汪直吧，他挺能幹的。』

『就是那個傜人？』

『正是。』

提起了汪直，萬貴妃就眉開眼笑，連病痛都忘記了。說眞的，像萬貴妃脾氣這麼壞，能夠讓她稱心如意還眞正不簡單，但是汪直硬是有此能耐。汪直是大藤峽的傜族，與紀小娟一般，都是明朝軍隊平亂之後，被擄俘到了京師。

汪直生得非常俊俏，一雙大眼睛水汪汪的，鼻子也相當英挺端正，很容易就被相中，閹割，送到了昭德宮，在萬貴妃跟前當差。

萬貴妃表面上是威風八面，其實內心裡仍然是恐懼的，萬一有一天，憲宗突然醒悟了，不再受她支使，或者，迷上其他的妃嬪，萬貴妃手上是一張牌也沒有，因此，她的情緒極端不穩，經常沒頭沒腦發脾氣。

有一回，一個被責罵的宮女私下裡嘟嘟囔囔：『老妖怪，萬胖子。』冷不防，萬貴妃突然出現，戴滿了戒指的巴掌左右開弓，宮女的臉頰滴滴流血，跌倒在地，萬貴妃胖胖的腳用力踹了又踹，宮女哀哀討饒，衆人相愕，不曉得該如何是好。

這時，汪直一個箭步向前，也踩了宮女一腳，大聲地說：『萬娘娘那兒是胖，她是豐腴，與唐朝楊貴妃一般雍容華貴。』

萬貴妃臃腫悍潑，從來沒有人誇她美麗，而女人，沒有不喜歡別人稱讚她美麗的，因此，她收起了怒氣，開始打量眼前這個俊俏的美少年。

汪直獻媚地對萬貴妃說：『宮女當然嫉妒娘娘，娘娘用不著與她們一般見識，娘娘若是戴上了昨天梁芳呈獻的玉簪，必定更爲艷麗大方。』

萬貴妃滿頭珠翠，叮叮噹噹，若非她頭大，怕早就撐不住了，汪直竟然勸她再戴飾物，她也開開心心再加一支玉簪，汪直頻頻稱美，其他人心中暗罵『缺德！』卻也不能不佩服汪直馬屁功夫的確是高人一等。

閱讀心得

【第859篇】

汪直奉命探人隱私。

明憲宗接受萬貴妃的建議，決定讓汪直到宮外刺探隱私。

汪直當時不過是個小小的『御馬監太監』，但是，他所得到的命令是『大政、小事、方言、巷語，悉探以聞。』也就是說，不論任何大大小小的事，全在汪直的探聽範圍之內。

這下子，汪直可精神抖擻了，他在錦衣衛之中挑了幾位與他臭味相投、詭譎機靈、不安好心眼的年輕校尉，換上了布衣小帽，或騎驢或騎騾，開始在北京城内外閒逛。

汪直一行人在北京城裏又吃又玩，快活極了，比在萬貴妃跟前當差，伺候她陰晴不定的脾氣，相形之下，彷彿到了天堂。

既然是奉命出外打探消息，玩了一整天，汪直總不能空手而返。這可難不倒足智多謀的汪直，他把在烤鴨店裏聽來的消息，再加油添醬一番，就是一篇精采絕倫的報告了。

譬如說汪直會稟告明憲宗：『報告萬歲爺，奴才今天打探到一件消息，可離奇著，在京城近郊住著一位陳老，終日吟哦詩書，時時教訓人們要禮義廉恥。』

明憲宗不耐煩地打斷汪直：『那豈不與商尚書一般，有什麼意思。』

商尚書就是商輅，商輅乃國之棟樑，憲宗卻頂討厭他。嫉妒之心人皆有之，按理說來，當皇帝的，應該沒有什麼人值得他嫉妒了。但是不然，明憲宗嫉妒商輅的道德人品，憲宗看不慣商輅自以爲是的神氣，更難忍耐商輅的直言上諫。

汪直明白天子被人捧慣了，最恨有骨鯁精神的忠臣，所以接口道：『對對，陳老貌似商尚書，連說話語氣神態都相仿。陳老喪偶多年，一直未曾再娶，最近他兒子娶了媳婦，發生了一件奇怪的事。』

『怎麼個奇怪法？』這下子明憲宗有興趣了，大病初癒的萬貴妃也坐直了身體。

汪直嘿嘿地冷笑道：『陳老的媳婦生得極美，尤其皮膚又白又細，就像嫩豆腐一般掐得出水來。這陳老經常捧著一本書作幌子，一雙眼睛自書本下盯著媳婦打轉。尤其是白天兒子外出時，他乾脆把書扔在一旁，就這麼魂不守舍直直地瞧著媳婦，害得媳婦困窘萬分，躲都沒有地方躲。』

『哈哈哈！』憲宗笑得前仰後合，『想不到商老也有這一天。』憲宗似乎忘記了商輅和陳老兩人之間毫無關係。

萬貴妃更樂了：『我早知道商輅不是好人。』

萬貴妃與商輅曾經有一段過節哩，就是憲宗成化十一年五月裡，紀小娟戲劇化地翩然自安樂堂出現，手裡還牽著萬歲爺的兒子——六歲的阿孝，紀小娟被封爲紀淑妃，萬貴妃氣得發瘋。

過了一個月，紀淑妃暴斃，死因爲何乃千古疑案，一般的看法是萬貴妃準脫不了關係。

正直的商輅看不過去，他堅持根據中國人孝順的傳統，剛被封爲太子的阿孝應該探視亡母。於是司禮監帶著阿孝前往。

阿孝自小與紀淑妃相依爲命，當他發現媽媽不會親他抱他，不會說話，不能動彈，著急傷心得又哭又鬧。在旁的人都悄悄地在用手背擦眼淚，萬貴妃卻爲之厭惡萬分。

後來，紀淑妃葬禮之時，商輅又堅持太子必須披麻戴孝地行禮，萬貴妃更火大，她原希望太子年紀小，記不得母親，將來她籠絡籠絡，太子就把她當媽媽。這個美夢被商輅破壞了，難怪後來她請太子吃點心，太子竟然說點心裡有毒，氣得她生了一場大病……

所以，萬貴妃搶著說：『明天，你再打聽打聽那個陳老怎麼了，他與商輅一般壞。』

於是，第二天，明憲宗與萬貴妃以等著看好戲的心情，期盼著汪直歸來。

汪直爲了不讓聽衆失望，連忙編了一段：『這陳老先生眞是老不修，竟然搬來一張椅子，從窗户縫裡偷看媳婦洗澡，一個不留神，陳老摔了下來，媳婦趕忙穿好衣服跑出來看，發覺竟然是公公在窺浴，眞是羞愧難當，覺得活不下去，只好投井而死了。』

明憲宗嘆了一口氣：『沒有想到商輅是這種人。』

汪直接口：『雖然不是眞的商尚書，不過想來商大人私底下也是如此。』

閱讀心得

明憲宗、萬貴妃與汪直在假的商輅的敗行之中得到了滿足，憲宗雖然貴為皇帝，在道德上卻到達不了高的層次，只好『以小人之心度君子之腹』，自我欺瞞，把那些有道德的君子『醜化』一下，來紓解自己的壓力。

【第860篇】汪直成立西廠。

太監汪直領到明憲宗的命令：『大政、小事、方言、巷語，悉探以聞。』從此以後，他每天換上便衣小帽，騎著一匹小騾，帶著幾名小混混出外打探消息，吃喝玩樂，眞是快活極了。

對於明憲宗而言，每天午睡醒來，聽汪直報告一些某妻妾爭風吃醋、大打出手，或者某公公偷看媳婦洗澡的醜聞，消遣解悶，深覺十分有趣。汪直非但人俊俏又機警，同時口才也好，唱作俱佳，連比帶演，總把明憲宗與萬貴妃逗得呵呵笑。

由於汪直的表現極佳，憲宗在成化十三年一月正式成立了西廠。西廠和原來的東廠都是特務機關，替皇帝刺探外情，防止臣民謀反叛逆。西廠的權勢超過東廠。不過，西廠到了明武宗正德五年被撤廢，一共存在了三十四年，但是，東廠卻始終存在，一直到明朝滅亡。

西廠正式成立以後，汪直認為，目前他所打探的消息，不過是一些三姑六婆的閒言閒語，不容易引起朝野的重視，換句話說，汪直有如現代報紙的地方消息，他心目中卻是想弄一個頭版頭條，讓人人側目，個個震驚，然後，還可以藉此斂財。

汪直把他的心意告訴了韋瑛，韋瑛笑嘻嘻道：『我一定能把這件事辦

西廠

成。』

韋瑛是誰？韋瑛原是一個市井無賴，因爲混不下去，就把自己賣給一個姓韋的宦官，成爲韋姓的家人。

汪直與韋瑛年紀相彷彿，臭味相投，很快就成爲了親暱的酒肉朋友，彼此稱兄道弟，準備大幹一場。

過了沒有多久，機會上門了。

事情是這樣的，有一個名叫楊曄的人，原是楊少師楊榮的曾孫，他的父親楊泰性情粗暴，因爲小小細故殺了人，楊曄也脱不了關係，嚇得連夜逃到京師找姐姐幫忙，楊姐姐嫁給了董序，董序是禮部主事。

在中國古代，司法不獨立，中國人始終相信，有錢能使鬼推磨，總是設法打點關說，希望能夠減刑甚且無罪釋放，而果然也有不少人走這條路走通了。楊勰來找姐夫，就是想要利用關係爲楊泰脫罪。

楊勰夜半急急敲門，把董家上上下下全都驚醒了。董序一見楊勰大吃一驚，董序平日對這個小舅子從來沒有好感，卻沒見過他如此狼狽，整張臉脹得像是腐敗的豬肝，眼神裡有畏懼有不安，一改平日凡事不在乎的調調兒。

『怎麼啦？』楊姐急著探出頭來詢問。

楊勰直喘氣，好半天才壓低聲音說：『爹殺了人。』

『啊！』董序夫婦相對一望，也都呆住了。

問明原委之後，楊姐心中好不著急，卻故作輕鬆道：『沒關係的，船到橋頭自然直，姐夫會想辦法的。』

一聽此話，楊勰放了心，又恢復了調皮的本色，摸摸肚皮撒嬌：『啊！一路趕來，還眞是有點兒餓了。』

做姐姐的通常都愛護弟弟，楊姐道：『爐子上燉了一鍋羊肉，早就爛了，原是你姐夫要消夜的。』

楊勰鼻子用力一吸：『果然是好香，剛才嚇怕了，沒有嗅到。』楊姐見楊勰好饞的模樣，端來了羊肉，又煎了一條魚端來，楊勰連喝三碗粥，抹抹嘴巴，然後便去睡了，一會兒，發出了打鼾的聲音，顯然是放心地睡著了。

董序夫婦卻是一夜未眠。董序說：『岳父殺人的事，要趕快趕快壓住，如果地方眞的辦起來，我們都會牽連在內。我明天一大早去找韋瑛想想辦法吧！』

楊姐握著董序的手：『弟弟帶來了一萬兩黃金，數目不小，應該是夠了。』

第二天一大早，董序找到了韋瑛，並且獻上金子，韋瑛笑咪咪道：『放心吧！一切交給我。』

董序也笑了：『眞是謝謝了。』

董序心中放下一顆巨石，回家補睡回籠覺。

可惜，董序高興得還太早……

閱讀心得

閱讀心得

閱讀心得

閱讀心得

歷代•西元對照表

朝　　代	起迄時間
五帝	西元前2698年～西元前2184年
夏	西元前2183年～西元前1752年
商	西元前1751年～西元前1123年
西周	西元前1122年～西元前 771年
春秋戰國(東周)	西元前 770年～西元前 222年
秦	西元前 221年～西元前 207年
西漢	西元前 206年～西元 8年
新	西元 9年～西元 24年
東漢	西元 25年～西元 219年
魏(三國)	西元 220年～西元 264元
晉	西元 265年～西元 419年
南北朝	西元 420年～西元 588年
隋	西元 589年～西元 617年
唐	西元 618年～西元 906年
五代	西元 907年～西元 959年
北宋	西元 960年～西元 1126年
南宋	西元 1127年～西元 1276年
元	西元 1277年～西元 1367年
明	西元 1368年～西元 1643年
清	西元 1644年～西元 1911年
中華民國	西元 1912年

國家圖書館出版品預行編目資料

全新吳姐姐講歷史故事. 40. 明代/吳涵碧 著.
--初版.--臺北市；皇冠，1995〔民84〕
面；公分（皇冠叢書；第2397種）
ISBN 978-957-33-1173-7（平裝）
1. 中國歷史

610.9　　　　84000130

皇冠叢書第2397種
第四十集【明代】
全新吳姐姐講歷史故事〔注音本〕

作　　者—吳涵碧
繪　　圖—劉建志
發 行 人—平雲
出版發行—皇冠文化出版有限公司
台北市敦化北路120巷50號
電話◎02-27168888
郵撥帳號◎15261516號
皇冠出版社(香港)有限公司
香港上環文咸東街50號寶恒商業中心
23樓2301-3室
電話◎2529-1778　傳真◎2527-0904
出版統籌—盧春旭
印　　務—林佳燕
校　　對—皇冠校對組
著作完成日期—1992年01月01日
香港發行日期—1995年09月25日
初版一刷日期—1995年10月01日
初版二十七刷日期—2014年08月
法律顧問—王惠光律師

讀者服務傳真專線◎02-27150507
電腦編號◎350040
ISBN◎978-957-33-1173-7
Printed in Taiwan
本書定價◎新台幣150元/港幣45元